Salimos zumbando

Escrito e ilustrado por Jane Cowen-Fletcher

SCHOLASTIC INC.

New York Toronto London Auckland Sydney

Doy gracias de todo corazón a Brad
por su afecto y apoyo y por hacer este cuento posible,
y a
Bruce McMillan
por hacerlo realidad

Originally published as: *Mama Zooms*

Copyright © 1993 by Jane Cowen-Fletcher.
Translated by Irene Mata/Altamira Perea.
Spanish translation copyright © 1996 by Scholastic Inc.
All rights reserved. Published by Scholastic Inc.
Design by Kristina Iulo.
Printed in the U.S.A.
ISBN 0-590-89928-7

3 4 5 6 7 8 9 10   08   03

Para Paula, Tim y Brice David
y a la memoria de
Bradley John

Mamá tiene una
máquina zumbadora
y con ella vamos a
todas partes.

Cada mañana,
papá me sienta en
las rodillas de mamá
y ¡a despegar!

Salimos zumbando
por el césped.
Mamá es mi caballo
de carreras.

Salimos zumbando a
través de un charco.
Mamá es mi barco
en la mar.

Salimos zumbando
calle abajo. Mamá es mi
auto de carreras.

Salimos zumbando por las rampas a toda velocidad. ¡Nos encantan las rampas!

Salimos zumbando
por encima del puente.
Mamá es mi avión.

Salimos zumbando a
través de un pasillo oscuro.
Mamá es mi tren en
el túnel.

Salimos zumbando por una carretera llena de baches. Mamá es mi carreta de cuatro ruedas.

Salimos zumbando por
el paseo marítimo.
Mamá es mi ola.

Mamá tiene los brazos
muy fuertes de tanto ir
de aquí para allá.

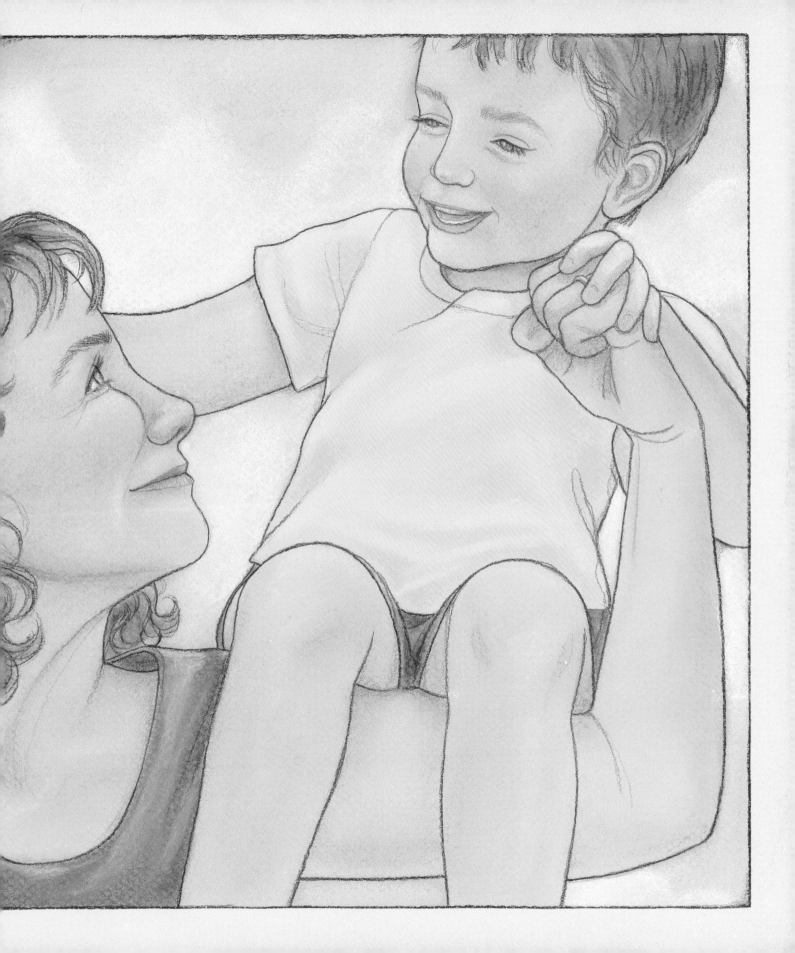

Papá y yo la empujamos
solamente cuando
las colinas son empinadas.
Cuando llegamos a
la cumbre, papá dice:
"¡Nos vemos en tierra!"…

…Y cuando salimos
zumbando hacia las
estrellas, mamá es
mi cohete espacial.

Mamá y yo salimos
zumbando a todas partes
hasta la hora de dormir.
Luego, mamá es
simplemente mi mamá. Y
así es como me gusta más.